Schneewittchen
Little Snow White

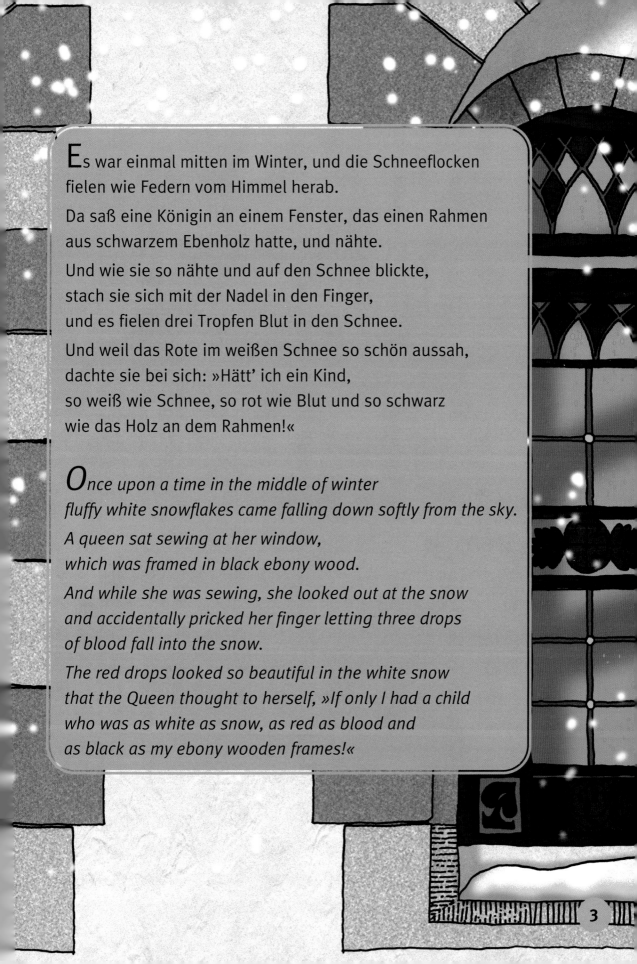

Es war einmal mitten im Winter, und die Schneeflocken
fielen wie Federn vom Himmel herab.

Da saß eine Königin an einem Fenster, das einen Rahmen
aus schwarzem Ebenholz hatte, und nähte.

Und wie sie so nähte und auf den Schnee blickte,
stach sie sich mit der Nadel in den Finger,
und es fielen drei Tropfen Blut in den Schnee.

Und weil das Rote im weißen Schnee so schön aussah,
dachte sie bei sich: »Hätt' ich ein Kind,
so weiß wie Schnee, so rot wie Blut und so schwarz
wie das Holz an dem Rahmen!«

Once upon a time in the middle of winter
fluffy white snowflakes came falling down softly from the sky.

A queen sat sewing at her window,
which was framed in black ebony wood.

And while she was sewing, she looked out at the snow
and accidentally pricked her finger letting three drops
of blood fall into the snow.

The red drops looked so beautiful in the white snow
that the Queen thought to herself, »If only I had a child
who was as white as snow, as red as blood and
as black as my ebony wooden frames!«

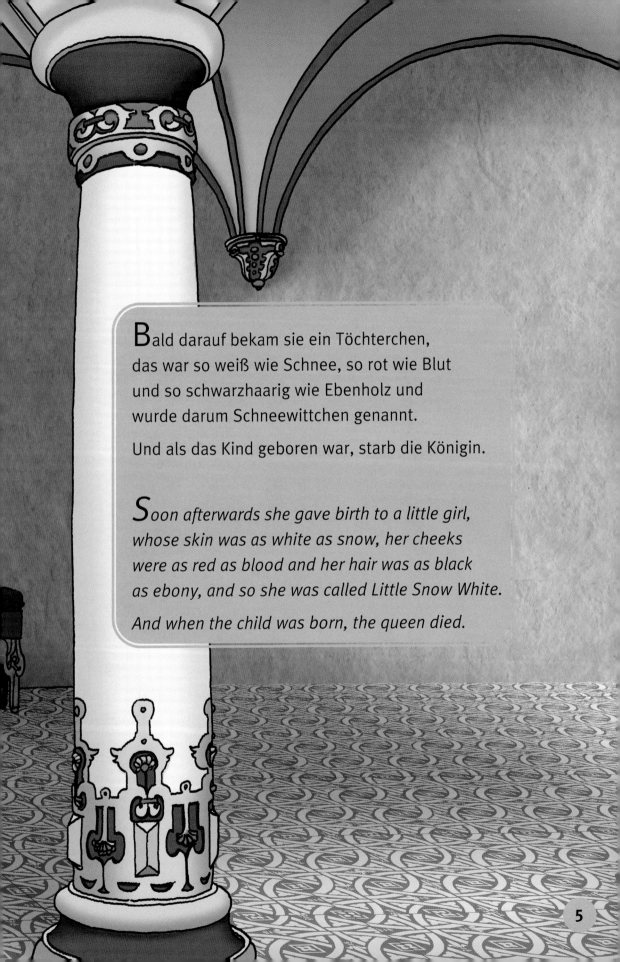

Bald darauf bekam sie ein Töchterchen,
das war so weiß wie Schnee, so rot wie Blut
und so schwarzhaarig wie Ebenholz und
wurde darum Schneewittchen genannt.

Und als das Kind geboren war, starb die Königin.

*Soon afterwards she gave birth to a little girl,
whose skin was as white as snow, her cheeks
were as red as blood and her hair was as black
as ebony, and so she was called Little Snow White.*

And when the child was born, the queen died.

Nach einem Jahr nahm sich der König eine andere Gemahlin.
Es war eine schöne Frau, aber sie war stolz und hochmütig
und konnte nicht leiden, dass sie jemand an Schönheit
übertreffen könnte.

Sie hatte einen wunderbaren Spiegel, wenn sie
vor den trat und sich darin beschaute, sprach sie:

»Spieglein, Spieglein an der Wand,
wer ist die Schönste im ganzen Land?«

Da antwortete der Spiegel: »Frau Königin,
Ihr seid die Schönste im Land.«

Jedesmal, wenn ihr der Spiegel antwortete
»Frau Königin, Ihr seid die Schönste im Land«,
da war sie zufrieden, denn sie wusste,
dass der Spiegel die Wahrheit sagte.

*A year later the King took another wife, who was very beautiful,
but she was so proud and vain that she could not bear the thought
of anyone being fairer than her.*

*The Queen had a magic mirror, and whenever she stood
in front of the mirror to look at herself, she would say –*

*»Mirror, mirror on the wall,
Who's the fairest one of all?«*

*And the mirror would answer –
»You, my Queen, are the fairest one of all.«*

*And the Queen was very happy, because she knew
the mirror always spoke the truth.*

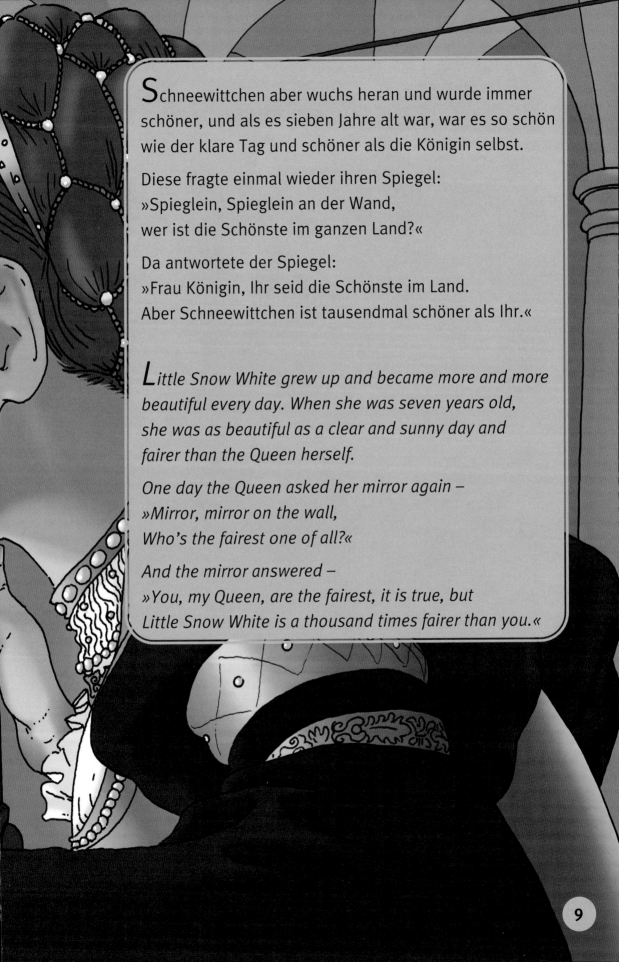

Schneewittchen aber wuchs heran und wurde immer schöner, und als es sieben Jahre alt war, war es so schön wie der klare Tag und schöner als die Königin selbst.

Diese fragte einmal wieder ihren Spiegel:
»Spieglein, Spieglein an der Wand,
wer ist die Schönste im ganzen Land?«

Da antwortete der Spiegel:
»Frau Königin, Ihr seid die Schönste im Land.
Aber Schneewittchen ist tausendmal schöner als Ihr.«

Little Snow White grew up and became more and more beautiful every day. When she was seven years old, she was as beautiful as a clear and sunny day and fairer than the Queen herself.

One day the Queen asked her mirror again –
»Mirror, mirror on the wall,
Who's the fairest one of all?«

And the mirror answered –
»You, my Queen, are the fairest, it is true, but
Little Snow White is a thousand times fairer than you.«

Da erschrak die Königin und wurde gelb und grün vor Neid. Von dieser Stunde an, wenn sie Schneewittchen erblickte, hasste sie das Mädchen. Und der Neid und Hochmut wuchsen wie ein Unkraut in ihrem Herzen immer höher, so dass sie Tag und Nacht keine Ruhe mehr hatte.

Da rief sie einen Jäger und sprach: »Bring das Kind hinaus in den Wald, ich will es nicht mehr sehen. Du sollst es töten und mir Lunge und Leber als Wahrzeichen bringen.«

The Queen was outraged to hear this and turned green with envy. From that moment on she hated the very sight of the girl. Envy and vanity grew in her heart, soon becoming so great that it gave her no peace of mind, day and night.

She summoned a hunter and said, »Take the child out into the deep dark forest. I never want to see her again. Kill her and bring me her lungs and liver as proof of her death.«

Der Jäger gehorchte und führte Schneewittchen hinaus, und als er den Hirschfänger gezogen hatte und Schneewittchens unschuldiges Herz durchbohren wollte, fing es an zu weinen und sprach: »Ach, lieber Jäger, lass mir mein Leben! Ich will in den wilden Wald laufen und nicht mehr wieder heimkommen.«

Und weil es gar so schön war, hatte der Jäger Mitleid und sprach: »So lauf, armes Kind!« Die wilden Tiere werden dich bald gefressen haben, dachte er, und doch war es ihm, als wäre ein Stein von seinem Herzen gewälzt, weil er es nicht zu töten brauchte.

Und als gerade ein junger Frischling daher gesprungen kam, stach er ihn ab, nahm Lunge und Leber heraus und brachte sie als Wahrzeichen der Königin. Der Koch musste sie in Salz kochen, und das boshafte Weib aß sie auf und meinte, sie hätte Schneewittchens Lunge und Leber gegessen.

The hunter obeyed and took Little Snow White out into the deep dark forest. When he pulled out his hunting knife, and was just about to pierce Little Snow White's innocent heart, she began to cry, sobbing »Oh, dear sweet hunter, spare my life. I'll run away into the deep dark forest and never come home again.«

Little Snow White was so beautiful that the hunter felt sorry for her and said, »Then run away, you poor thing!« He thought to himself, »The wild animals will soon eat you up anyway.« But it also seemed to the hunter as if a load had been taken off his mind, because he did not want to kill Little Snow White.

A young wild boar just happened to be passing by at that very moment. The hunter pulled out his knife and killed the boar, cutting out its lungs and liver to bring them to the Queen as proof of his task completed.
The evil Queen had the lungs and liver boiled in salt and ate them all up thinking they were Little Snow White's.

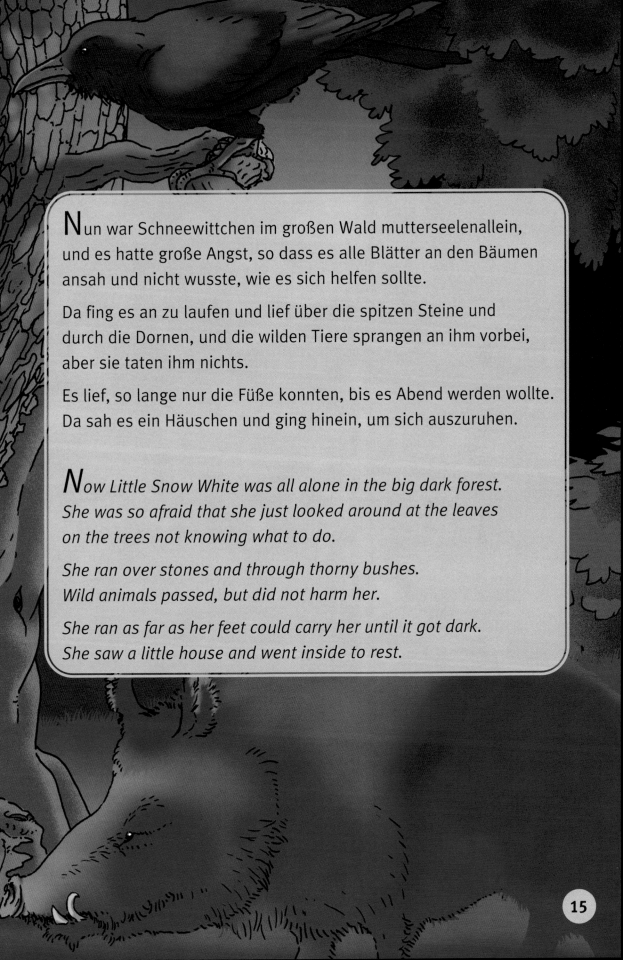

Nun war Schneewittchen im großen Wald mutterseelenallein, und es hatte große Angst, so dass es alle Blätter an den Bäumen ansah und nicht wusste, wie es sich helfen sollte.

Da fing es an zu laufen und lief über die spitzen Steine und durch die Dornen, und die wilden Tiere sprangen an ihm vorbei, aber sie taten ihm nichts.

Es lief, so lange nur die Füße konnten, bis es Abend werden wollte. Da sah es ein Häuschen und ging hinein, um sich auszuruhen.

Now Little Snow White was all alone in the big dark forest. She was so afraid that she just looked around at the leaves on the trees not knowing what to do.

She ran over stones and through thorny bushes. Wild animals passed, but did not harm her.

She ran as far as her feet could carry her until it got dark. She saw a little house and went inside to rest.

In dem Häuschen war alles klein, aber so zierlich und sauber, dass es kaum zu beschreiben ist. Da stand ein weiß gedecktes Tischchen mit sieben kleinen Tellern, jedes Tellerchen mit einem Löffelchen, dazu sieben Messerchen und Gäbelchen und sieben Becherchen. An der Wand waren sieben Bettchen nebeneinander aufgestellt und schneeweiße Laken darüber gedeckt.

Schneewittchen, weil es so hungrig und durstig war, aß von jedem Tellerchen ein wenig Gemüse und Brot und trank aus jedem Becherchen einen Tropfen Wein; denn es wollte nicht einem alles wegnehmen.

Danach, weil es so müde war, legte es sich in ein Bettchen, aber keines passte; das eine war zu lang, das andere zu kurz, bis endlich das siebte recht war; und darin blieb es liegen und schlief ein.

Everything in the house was small but neat and clean beyond words. There were seven little plates with seven little spoons and seven little knives and forks and seven little cups set on a table covered in a white tablecloth. There were seven little beds all made up in white sheets lined up side by side against the wall.

At this point Little Snow White was very hungry and thirsty. She only ate a little piece of bread and a few vegetables off of each and every plate and only drank a bit of wine out of each cup, because she did not want to eat all of someone's supper.

Then she lay down on a little bed, because she was so very tired. But none of the beds fit her – one was too long, the other too short. Finally, she came to the seventh bed. It fit. She lay herself down and fell asleep.

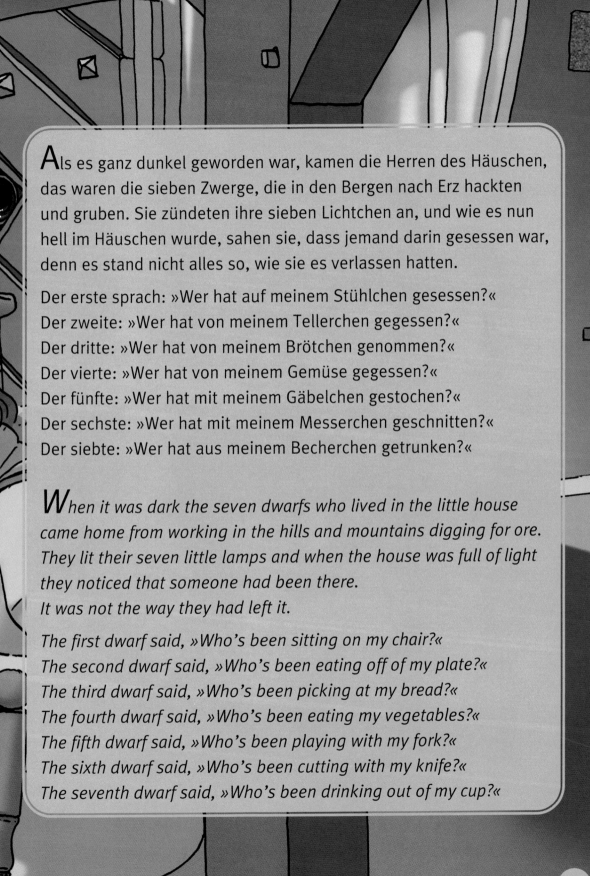

Als es ganz dunkel geworden war, kamen die Herren des Häuschen, das waren die sieben Zwerge, die in den Bergen nach Erz hackten und gruben. Sie zündeten ihre sieben Lichtchen an, und wie es nun hell im Häuschen wurde, sahen sie, dass jemand darin gesessen war, denn es stand nicht alles so, wie sie es verlassen hatten.

Der erste sprach: »Wer hat auf meinem Stühlchen gesessen?«
Der zweite: »Wer hat von meinem Tellerchen gegessen?«
Der dritte: »Wer hat von meinem Brötchen genommen?«
Der vierte: »Wer hat von meinem Gemüse gegessen?«
Der fünfte: »Wer hat mit meinem Gäbelchen gestochen?«
Der sechste: »Wer hat mit meinem Messerchen geschnitten?«
Der siebte: »Wer hat aus meinem Becherchen getrunken?«

When it was dark the seven dwarfs who lived in the little house came home from working in the hills and mountains digging for ore. They lit their seven little lamps and when the house was full of light they noticed that someone had been there.
It was not the way they had left it.

The first dwarf said, »Who's been sitting on my chair?«
The second dwarf said, »Who's been eating off of my plate?«
The third dwarf said, »Who's been picking at my bread?«
The fourth dwarf said, »Who's been eating my vegetables?«
The fifth dwarf said, »Who's been playing with my fork?«
The sixth dwarf said, »Who's been cutting with my knife?«
The seventh dwarf said, »Who's been drinking out of my cup?«

Dann sah sich der erste um und sah, dass auf seinem Bett eine kleine Delle war, da sprach er: »Wer hat in meinem Bettchen gelegen?« Die anderen kamen gelaufen und riefen: »In meinem hat auch jemand gelegen!«

Der siebte Zwerg aber, als er in sein Bett sah, erblickte Schneewittchen, das lag darin und schlief. Nun rief er die andern, die kamen herbeigelaufen und schrien vor Verwunderung, holten ihre sieben Lichtchen und beleuchteten Schneewittchen. »Ei!«, riefen sie. »Was ist das Kind schön!«

Und da sie es nicht aufwecken wollten, ließen sie das Mädchen schlafen. Der siebte Zwerg aber schlief bei seinen Gesellen, bei jedem eine Stunde, da war die Nacht herum.

Then the first dwarf looked around and saw that someone had chipped off a bit of his bed and said, »Who's been lying in my bed?« The other dwarfs came running and shouting – »Someone's been lying in my bed too!«

But when the seventh dwarf looked at his bed, he saw Little Snow White lying there asleep. He called out to the other dwarfs. They came running, fetching their little lamps letting the light fall on Little Snow White and then shouted with surprise, »Good heavens! What a beautiful child!«

The dwarfs did not want to wake Little Snow White, and so they let her sleep. The seventh dwarf slept an hour long with each of the other dwarfs till the morning came.

Als es Morgen war, erwachte Schneewittchen. Als es die sieben Zwerge sah, erschrak es. Sie waren aber freundlich und fragten: »Wie heißt du?« »Schneewittchen«, antwortete es. »Wie bist du in unser Haus gekommen?«, sprachen die Zwerge.

Da erzählte es ihnen, dass seine Stiefmutter es hätte umbringen wollen. Der Jäger hätte ihm aber das Leben geschenkt, und da wäre es gelaufen, den ganzen Tag, bis es endlich ihr Häuschen gefunden hätte.
Die Zwerge sprachen: »Willst du unseren Haushalt führen, kochen, betten, waschen, nähen und stricken, und willst du alles ordentlich und sauber halten, so kannst du bei uns bleiben, und es soll dir an nichts fehlen.« »Ja«, sagte Schneewittchen, »von Herzen gern!«, und blieb bei ihnen.

Schneewittchen hielt das Haus in Ordnung. Morgens gingen die Zwerge in die Berge und suchten Erz und Gold, abends kamen sie wieder, und da musste ihr Essen bereit sein. Den ganzen Tag über war das Mädchen allein; da warnten es die guten Zwerge und sprachen: »Hüte dich vor deiner Stiefmutter, die wird bald wissen, dass du hier bist; lass ja niemand herein!«

In the morning Little Snow White woke up and was startled to see the seven dwarfs. But the dwarfs were very friendly and asked, »What's your name?« »Little Snow White,« she answered. »How did you find our house?« the dwarfs inquired.

Little Snow White told the dwarfs that her stepmother wanted to have her killed, that the hunter had spared her life, and that she had run all day long till she came upon their little house. The dwarfs said, »Well, would you like to keep house for us? Would you like to cook, make the beds, wash, sew and knit, and would you keep everything neat and clean? If you do, then you can stay, and we'll take good care of you.« »I'd love to,« answered Little Snow White and she stayed and lived with the seven dwarfs.

She kept the house neat and clean. Every morning the dwarfs would go and look for ore and gold in the mountains and every evening they came home to the supper Little Snow White had cooked. Since she was home all alone, the kind-hearted dwarfs warned her saying, »Beware of your stepmother! She'll soon find out you're here. So be very careful and don't let anyone in.«

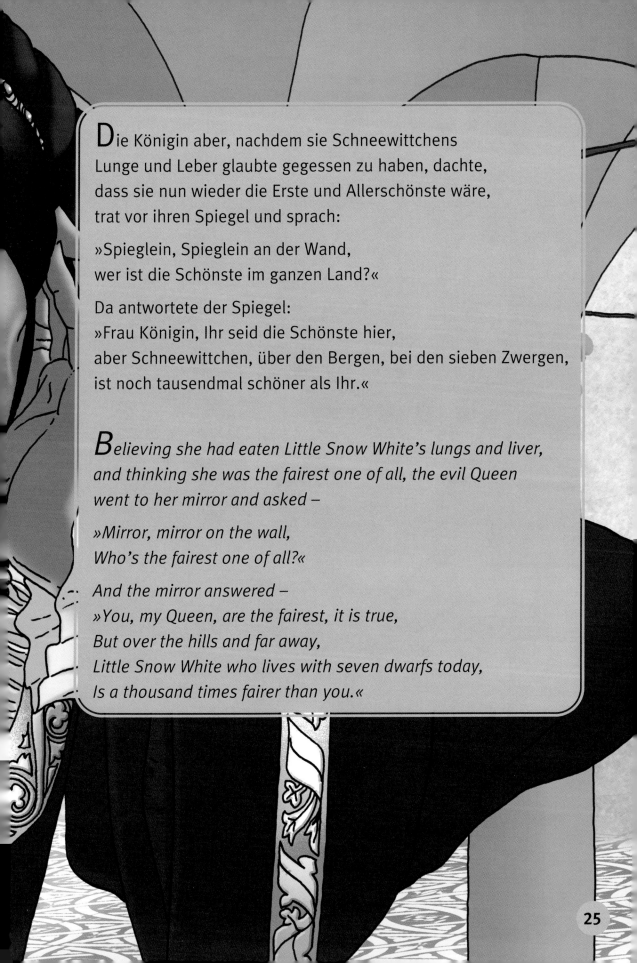

Die Königin aber, nachdem sie Schneewittchens Lunge und Leber glaubte gegessen zu haben, dachte, dass sie nun wieder die Erste und Allerschönste wäre, trat vor ihren Spiegel und sprach:

»Spieglein, Spieglein an der Wand,
wer ist die Schönste im ganzen Land?«

Da antwortete der Spiegel:
»Frau Königin, Ihr seid die Schönste hier,
aber Schneewittchen, über den Bergen, bei den sieben Zwergen,
ist noch tausendmal schöner als Ihr.«

Believing she had eaten Little Snow White's lungs and liver, and thinking she was the fairest one of all, the evil Queen went to her mirror and asked –

»Mirror, mirror on the wall,
Who's the fairest one of all?«

And the mirror answered –
»You, my Queen, are the fairest, it is true,
But over the hills and far away,
Little Snow White who lives with seven dwarfs today,
Is a thousand times fairer than you.«

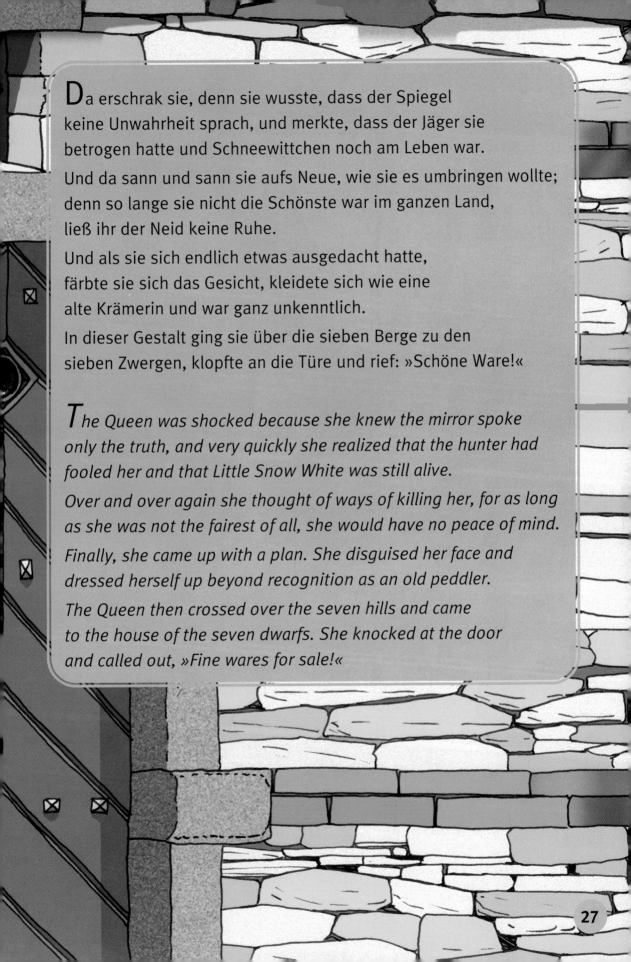

Da erschrak sie, denn sie wusste, dass der Spiegel keine Unwahrheit sprach, und merkte, dass der Jäger sie betrogen hatte und Schneewittchen noch am Leben war.

Und da sann und sann sie aufs Neue, wie sie es umbringen wollte; denn so lange sie nicht die Schönste war im ganzen Land, ließ ihr der Neid keine Ruhe.

Und als sie sich endlich etwas ausgedacht hatte, färbte sie sich das Gesicht, kleidete sich wie eine alte Krämerin und war ganz unkenntlich.

In dieser Gestalt ging sie über die sieben Berge zu den sieben Zwergen, klopfte an die Türe und rief: »Schöne Ware!«

The Queen was shocked because she knew the mirror spoke only the truth, and very quickly she realized that the hunter had fooled her and that Little Snow White was still alive.

Over and over again she thought of ways of killing her, for as long as she was not the fairest of all, she would have no peace of mind.

Finally, she came up with a plan. She disguised her face and dressed herself up beyond recognition as an old peddler.

The Queen then crossed over the seven hills and came to the house of the seven dwarfs. She knocked at the door and called out, »Fine wares for sale!«

Schneewittchen guckte zum Fenster hinaus und rief:
»Guten Tag, liebe Frau! Was habt Ihr zu verkaufen?« »Gute Ware«,
antwortete sie, »Schnürriemen von allen Farben«, und holte einen
hervor, der aus bunter Seide geflochten war.

»Die ehrliche Frau kann ich hereinlassen«, dachte Schneewittchen,
riegelte die Türe auf und kaufte sich den hübschen Schnürriemen.
»Kind«, sprach die Alte, »wie du aussiehst!
Komm, ich will dich einmal ordentlich schnüren.«
Schneewittchen war nicht misstrauisch, stellte sich vor sie und
ließ sich mit dem neuen Schnürriemen das Mieder schnüren.

Aber die Alte schnürte schnell und schnürte so fest, dass
Schneewittchen der Atem verging und es wie tot hinfiel.
»Nun bist du die Schönste gewesen«, sprach sie und eilte hinaus.

Little Snow White looked out of the window and said,
»A good day to you, good woman. What are you selling?«
»Fine wares,« she replied. »Coloured bodice laces.«
And she took out laces made of brightly coloured silk.

»I can let the honest woman in,« thought Little Snow White.
So she unlocked the door and bought herself the most
beautiful bodice laces. »My dear child!« said the old woman,
»Look at yourself. Let me lace you up properly.«
Little Snow White, trusting the old woman, stood up straight
and had the old woman tie up her bodice with the new laces.

But the old woman worked quickly, pulling the laces so tight
that Little Snow White could no longer breathe and she fell
to the ground as if she were dead.
»You used to be the fairest one of all,« the Queen said,
and hurried out of the house.

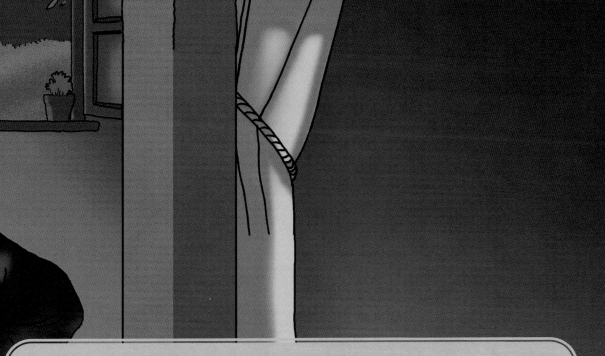

Nicht lange darauf, zur Abendzeit, kamen die sieben Zwerge nach Haus; aber wie erschraken sie, als sie ihr liebes Schneewittchen auf der Erde liegen sahen, und es regte und bewegte sich nicht, als wäre es tot. Sie hoben es in die Höhe, und weil sie sahen, dass es zu fest geschnürt war, schnitten sie den Schnürriemen entzwei; da fing es ein wenig an zu atmen und ward nach und nach wieder lebendig.

Als die Zwerge hörten, was geschehen war, sprachen sie: »Die alte Krämerfrau war niemand anderes als die gottlose Königin. Hüte dich und lass keinen Menschen herein, wenn wir nicht bei dir sind!«

Shortly afterwards the seven dwarfs returned home in the evening and were horrified to see Little Snow White slumped lifeless on the floor. They picked her up and saw that the laces were pulled too tight. So they cut the laces and Little Snow White slowly began to breathe again.

When the dwarfs heard what had happened they said, »The old woman was nobody else but the evil Queen herself. Beware and be careful. Don't let anyone in when we are away.«

Das böse Weib aber, als es nach Haus gekommen war, ging vor den Spiegel und fragte:

»Spieglein, Spieglein an der Wand,
wer ist die Schönste im ganzen Land?«

So antwortete der Spiegel:
»Frau Königin, Ihr seid die Schönste hier,
aber Schneewittchen, über den Bergen, bei den sieben Zwergen,
ist noch tausendmal schöner als Ihr.«

Als sie das hörte, lief ihr alles Blut zum Herzen, so erschrak sie, denn sie sah, dass Schneewittchen noch lebte. »Nun aber«, sprach sie, »will ich mir etwas ausdenken, das dich zugrunde richten soll«, und mit Hexenkünsten, die sie verstand, machte sie einen giftigen Kamm. Dann verkleidete sie sich und nahm die Gestalt eines anderen alten Weibes an. So ging sie hin über die sieben Berge zu den sieben Zwergen, klopfte an die Türe und rief: »Gute Ware!«

When the evil Queen came home she went to her mirror and asked –

»Mirror, mirror on the wall,
Who's the fairest one of all?«

But the mirror answered –
»You, my Queen, are the fairest, it is true,
But over the hills and faraway,
Little Snow White who lives with the seven dwarfs today,
Is a thousand times fairer than you.«

She was so outraged to hear the mirror's answer that her heart turned to stone. She knew that Little Snow White was still alive. »Well, now,« said the Queen, »I'm going to think up something that'll destroy you.« Using her witchcraft, she made a poisoned comb, disguised herself as another old woman, crossed over the seven hills to the house of the seven dwarfs, knocked at the door and called out, »Fine wares for sale!«

Schneewittchen schaute heraus und sprach: »Geht weiter, ich darf niemanden hereinlassen!« »Das Ansehen wird dir doch erlaubt sein«, sprach die Alte, zog den giftigen Kamm heraus und hielt ihn in die Höhe. Da gefiel er Schneewittchen so gut, dass es sich betören ließ und die Türe öffnete. Als sie sich mit dem Kauf einig waren, sprach die Alte: »Nun will ich dich einmal ordentlich kämmen.«

Das arme Schneewittchen dachte an nichts, ließ die Alte gewähren, aber kaum hatte sie den Kamm in die Haare gesteckt, als das Gift darin wirkte und das Mädchen ohne Besinnung niederfiel. »Jetzt ist es um dich geschehen«, sprach das boshafte Weib und ging fort.

Little Snow White looked out and said, »Go away! I'm not allowed to let anyone in.« Then the evil Queen took out the poisoned comb, held it up and said, »But you can take a look, can't you?«

Little Snow White liked the comb so much that she again let herself be tricked into opening the door. After they had agreed on the price, the old woman said, »Now let me comb your hair properly.«

Poor Little Snow White had no idea there was something wrong and let the old woman comb her hair. The evil Queen had barely touched Little Snow White's hair with the comb when the poison started working, and the poor little girl fainted. »That's that,« said the wicked woman and hurried away.

Zum Glück aber war es bald Abend und die sieben Zwerge kamen nach Hause. Als sie Schneewittchen wie tot auf der Erde liegen sahen, hatten sie gleich die Stiefmutter in Verdacht, suchten nach und fanden den giftigen Kamm. Und kaum hatten sie ihn herausgezogen, so kam Schneewittchen wieder zu sich und erzählte, was vorgegangen war. Da warnten sie es noch einmal, niemand die Türe zu öffnen.

Die Königin stellte sich aber daheim vor den Spiegel und sprach:

»Spieglein, Spieglein an der Wand,
wer ist die Schönste im ganzen Land?«

So antwortete der Spiegel:
»Frau Königin, Ihr seid die Schönste hier,
aber Schneewittchen, über den Bergen, bei den sieben Zwergen,
ist noch tausendmal schöner als Ihr.«

Fortunately, it was evening and the seven dwarfs soon returned home. When they saw Little Snow White lying lifeless on the ground, they immediately suspected her evil stepmother. They looked around and found the poisoned comb. They had barely removed the comb from Little Snow White's hair when she awoke and told the dwarfs what had happened. So they warned her again not to open the door to anyone.

When the Queen came home, she stood in front of her mirror and asked –

*»Mirror, mirror on the wall,
Who's the fairest one of all?«*

*And the mirror answered again –
»You, my Queen, are the fairest, it is true,
But over the hills and far away,
Little Snow White who lives with seven dwarfs today,
Is a thousand times fairer than you.«*

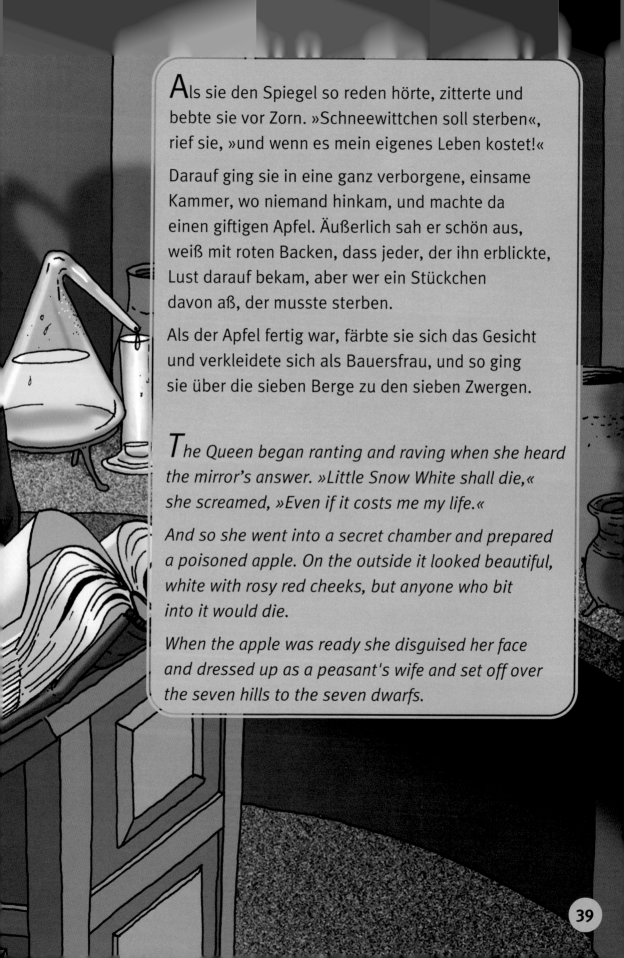

Als sie den Spiegel so reden hörte, zitterte und bebte sie vor Zorn. »Schneewittchen soll sterben«, rief sie, »und wenn es mein eigenes Leben kostet!«

Darauf ging sie in eine ganz verborgene, einsame Kammer, wo niemand hinkam, und machte da einen giftigen Apfel. Äußerlich sah er schön aus, weiß mit roten Backen, dass jeder, der ihn erblickte, Lust darauf bekam, aber wer ein Stückchen davon aß, der musste sterben.

Als der Apfel fertig war, färbte sie sich das Gesicht und verkleidete sich als Bauersfrau, und so ging sie über die sieben Berge zu den sieben Zwergen.

The Queen began ranting and raving when she heard the mirror's answer. »Little Snow White shall die,« she screamed, »Even if it costs me my life.«

And so she went into a secret chamber and prepared a poisoned apple. On the outside it looked beautiful, white with rosy red cheeks, but anyone who bit into it would die.

When the apple was ready she disguised her face and dressed up as a peasant's wife and set off over the seven hills to the seven dwarfs.

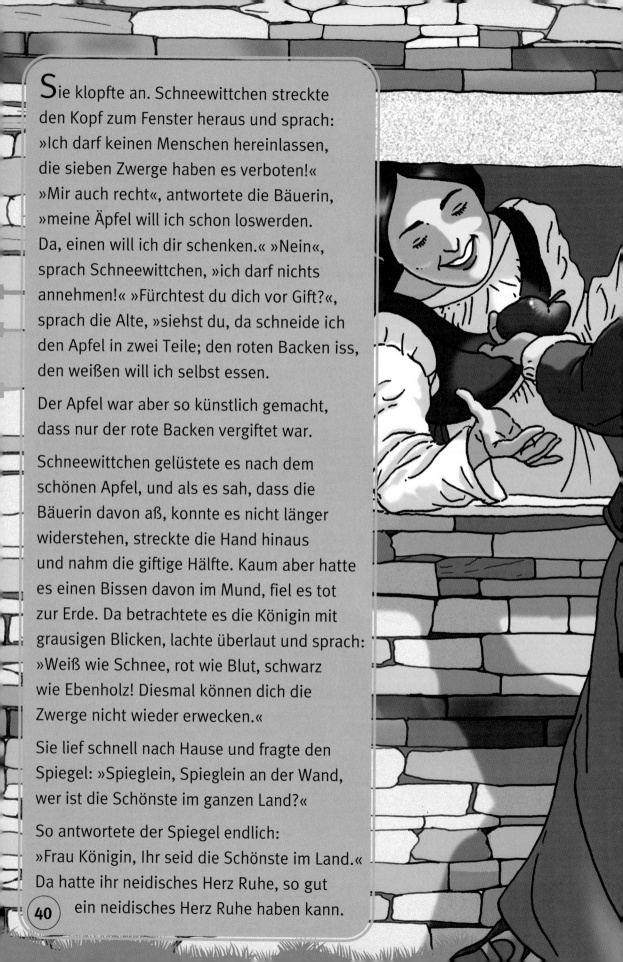

Sie klopfte an. Schneewittchen streckte den Kopf zum Fenster heraus und sprach: »Ich darf keinen Menschen hereinlassen, die sieben Zwerge haben es verboten!« »Mir auch recht«, antwortete die Bäuerin, »meine Äpfel will ich schon loswerden. Da, einen will ich dir schenken.« »Nein«, sprach Schneewittchen, »ich darf nichts annehmen!« »Fürchtest du dich vor Gift?«, sprach die Alte, »siehst du, da schneide ich den Apfel in zwei Teile; den roten Backen iss, den weißen will ich selbst essen.

Der Apfel war aber so künstlich gemacht, dass nur der rote Backen vergiftet war.

Schneewittchen gelüstete es nach dem schönen Apfel, und als es sah, dass die Bäuerin davon aß, konnte es nicht länger widerstehen, streckte die Hand hinaus und nahm die giftige Hälfte. Kaum aber hatte es einen Bissen davon im Mund, fiel es tot zur Erde. Da betrachtete es die Königin mit grausigen Blicken, lachte überlaut und sprach: »Weiß wie Schnee, rot wie Blut, schwarz wie Ebenholz! Diesmal können dich die Zwerge nicht wieder erwecken.«

Sie lief schnell nach Hause und fragte den Spiegel: »Spieglein, Spieglein an der Wand, wer ist die Schönste im ganzen Land?«

So antwortete der Spiegel endlich: »Frau Königin, Ihr seid die Schönste im Land.« Da hatte ihr neidisches Herz Ruhe, so gut ein neidisches Herz Ruhe haben kann.

*S*he knocked at the door. Little Snow White poked her head out of the window, and said, »The seven dwarfs have forbidden me to let anyone in.« »It doesn't matter,« said the peasant's wife, »I won't have any trouble selling my apples. Here, I want to give you one.« »No,« said Little Snow White, »I'm not allowed to take anything.« »Are you afraid it's poisoned?« said the old woman. »Look, I'll cut the apple in two. You eat the red part and I'll eat the white.«

The evil Queen had prepared the apple so that only the red cheek was poisoned.

Little Snow White, meanwhile, had her heart set on the apple. When she saw that the old woman had eaten a part of the apple, she could not resist any longer. She stretched out her hand and took the poisoned half of the apple. She had barely bitten off a piece when she fell down dead on the ground. The evil Queen looked at Little Snow White, let out a deafening laugh and said, »As white as snow, as red as blood, as black as ebony! The dwarfs can't bring you back to life this time.«

She hurried home and asked her mirror –
»Mirror, mirror on the wall,
Who's the fairest one of all?«

And the mirror finally answered –
»You, my Queen, are the fairest one of all.«
And her envious heart was finally as happy as an envious heart could be.

Die Zwerge, als sie am Abend nach Hause kamen, fanden Schneewittchen auf der Erde liegen, und es ging kein Atem mehr aus seinem Mund, und es war tot. Sie hoben es auf, suchten, ob sie etwas Giftiges fänden, schnürten es auf, kämmten ihm die Haare, wuschen es mit Wasser und Wein, aber es half alles nichts; das liebe Kind war tot und blieb tot. Sie legten es auf eine Bahre und setzten sich alle sieben daran und beweinten es und weinten drei Tage lang.

Da wollten sie es begraben, aber es sah noch so frisch aus wie ein lebender Mensch und hatte noch seine schönen, roten Backen. Sie sprachen: »Das können wir nicht in die schwarze Erde versenken«, und ließen einen durchsichtigen Sarg von Glas machen, dass man es von allen Seiten sehen konnte, legten es hinein und schrieben mit goldenen Buchstaben seinen Namen darauf und dass es eine Königstochter wäre.

Dann setzten sie den Sarg hinaus auf den Berg, und einer von ihnen blieb immer dabei und bewachte ihn. Und die Tiere kamen auch und beweinten Schneewittchen, erst eine Eule, dann ein Rabe, zuletzt ein Täubchen.

When the dwarfs returned home in the evening, they found Little Snow White lying dead on the ground. The dwarfs picked her up, looked for something poisoned, unlaced her bodice, combed her hair, and washed her face with wine and water. But nothing helped. So the seven dwarfs laid her on a bed, placed themselves around it and wept and mourned for three long days.

They wanted to bury her, but her cheeks were still so rosy, and her face looked so alive that they said, »We cannot bury her in the deep dark ground.«

And so they had a coffin made of glass, so that they could look at her from all sides. They put Little Snow White inside the glass coffin and wrote her name on it in golden letters saying she was the daughter of a king.

Then they took the glass coffin, placed it on the hill, and always had one of the dwarfs keep guard. Even the birds came to mourn Little Snow White – first an owl, then a raven, and finally a dove.

Nun lag Schneewittchen lange, lange Zeit in dem Sarg und verweste nicht, sondern sah aus, als wenn es schliefe, denn es war noch so weiß wie Schnee, so rot wie Blut und so schwarzhaarig wie Ebenholz.

Es geschah aber, dass ein Königssohn in den Wald geriet und zu dem Zwergenhaus kam, um da zu übernachten. Er sah auf dem Berg den Sarg und das schöne Schneewittchen darin und las, was mit goldenen Buchstaben darauf geschrieben war.

Da sprach er zu den Zwergen: »Lasst mir den Sarg, ich will euch geben, was ihr dafür haben wollt.« Aber die Zwerge antworteten: »Wir geben ihn nicht für alles Gold in der Welt.« Da sprach er: »So schenkt mir ihn, denn ich kann nicht leben, ohne Schneewittchen zu sehen, ich will es ehren und hoch achten wie mein Liebstes.«

Little Snow White lay in the coffin for a very, very long time but she did not wither away. It looked as if she were just asleep, for her skin was still as white as snow, her cheeks were still as red as blood, and her hair was still as black as ebony.

It came to pass that a prince was travelling through the deep dark forest. He came across the dwarfs' house and asked them for shelter for the night. The Prince saw the glass coffin on the hill, and he saw Little Snow White inside. He read the words written in golden letters, and then he asked the dwarfs, »Give me the glass coffin, and I'll give you anything you want.«

But the dwarfs answered, »We wouldn't give her away for all the gold in the world.« Then the Prince said, »Then give me the glass coffin as a gift, because I can't live without looking at Snow White. I'll honour and cherish her as my dearest possession.«

45

Wie er so sprach, empfanden die guten Zwerge Mitleid mit ihm und gaben ihm den Sarg. Der Königssohn ließ ihn nun von seinen Dienern auf den Schultern forttragen. Da geschah es, dass sie über einen Strauch stolperten, und von dem Schütteln fiel der giftige Apfelgrütz, den Schneewittchen abgebissen hatte, aus dem Hals. Und nicht lange, so öffnete es die Augen, hob den Deckel vom Sarg in die Höhe und richtete sich auf und war wieder lebendig.

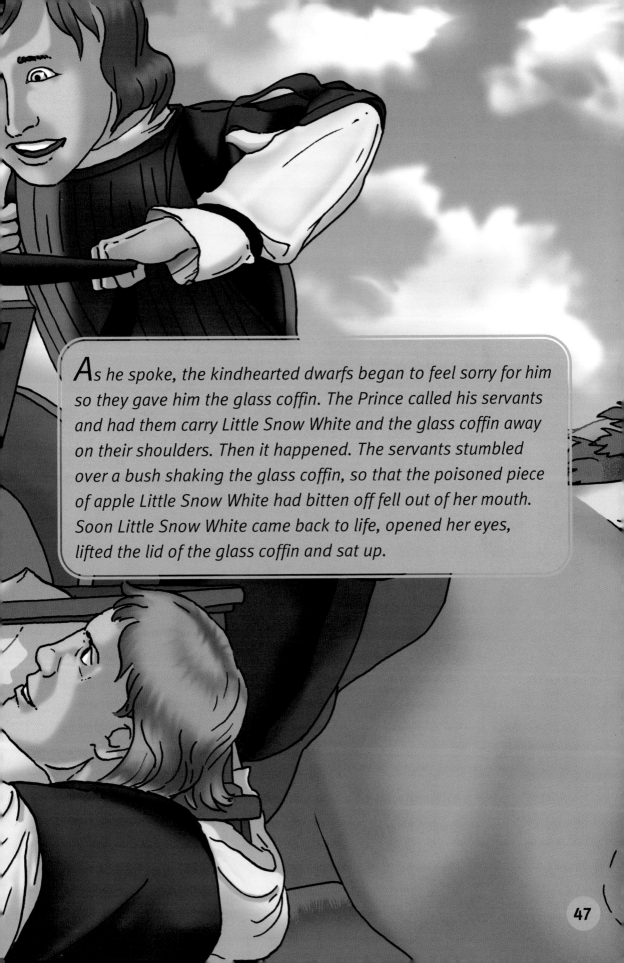

As he spoke, the kindhearted dwarfs began to feel sorry for him so they gave him the glass coffin. The Prince called his servants and had them carry Little Snow White and the glass coffin away on their shoulders. Then it happened. The servants stumbled over a bush shaking the glass coffin, so that the poisoned piece of apple Little Snow White had bitten off fell out of her mouth. Soon Little Snow White came back to life, opened her eyes, lifted the lid of the glass coffin and sat up.

Ach Gott, wo bin ich?«, rief es. Der Königssohn sagte voll Freude: »Du bist bei mir«, und erzählte, was sich zugetragen hatte, und sprach: »Ich habe dich lieber als alles auf der Welt; komm mit mir in meines Vaters Schloss, du sollst meine Gemahlin werden.« Da war ihm Schneewittchen gut und ging mit ihm, und ihre Hochzeit ward mit großer Pracht und Herrlichkeit angeordnet.

Good Heavens, where am I?« she exclaimed. Overjoyed, the Prince answered, »You are with me.« Then he told her what had happened and said, »I love you more than anything in the world. Come with me to my father's castle. You shall be my wife.« Little Snow White agreed and they celebrated a splendid and magnificent wedding.

Zur Hochzeit wurde aber auch Schneewittchens Stiefmutter eingeladen. Wie sie sich nun mit schönen Kleidern geschmückt hatte, trat sie vor den Spiegel und sprach: »Spieglein, Spieglein an der Wand, wer ist die Schönste im ganzen Land?«

So antwortete der Spiegel: »Frau Königin, Ihr seid die Schönste hier, aber die junge Königin ist noch tausendmal schöner als ihr.«

Da stieß das böse Weib einen Fluch aus, und war so voller Hass und Wut, dass sie sich nicht zu helfen wusste. Sie wollte zuerst gar nicht auf die Hochzeit kommen, doch ließ es ihr keine Ruhe, sie musste fort und die junge Königin sehen. Und wie sie hineintrat, erkannte sie Schneewittchen, und vor Angst und Schrecken stand sie da und konnte sich nicht regen. Aber es waren schon eiserne Pantoffeln über Kohlenfeuer gestellt und wurden mit Zangen hereingetragen und vor sie hingestellt.
Da musste sie in die rot glühenden Schuhe treten und so lange tanzen, bis sie tot zur Erde fiel.

Now, Little Snow White's evil stepmother was also invited to the wedding. After she had dressed herself in fine clothes, she stood in front of the mirror and asked – »Mirror, mirror on the wall, Who's the fairest one of all?«

And the mirror answered – »You, my Queen, are the fairest, it is true, But the young Queen is a thousand times fairer than you.«

At that the wicked woman screamed and cursed. She was so furious and full of hate that she did not know what to do. At first she did not want to go to the wedding, but then her curiosity got the better of her, and she could not help but go and see the young Queen. When she walked in, she recognized Little Snow White. The evil Queen was so horrified to see her that she froze on the spot. But iron slippers had already been prepared and placed over a coal fire, brought in with tongs and set before the evil Queen. She was forced to put on the glowing red-hot slippers and dance in them until she fell down dead.

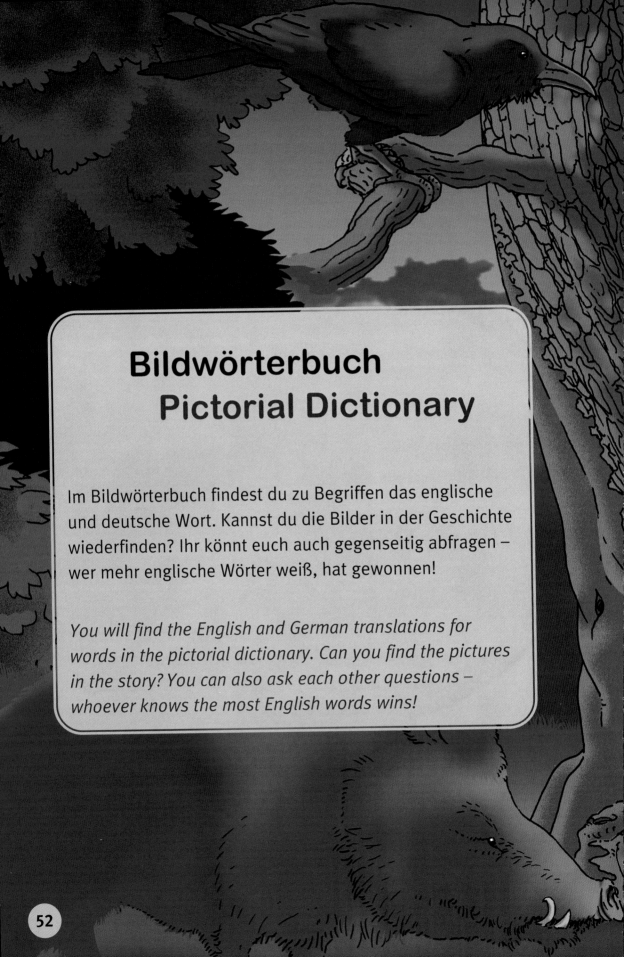

Bildwörterbuch
Pictorial Dictionary

Im Bildwörterbuch findest du zu Begriffen das englische und deutsche Wort. Kannst du die Bilder in der Geschichte wiederfinden? Ihr könnt euch auch gegenseitig abfragen – wer mehr englische Wörter weiß, hat gewonnen!

You will find the English and German translations for words in the pictorial dictionary. Can you find the pictures in the story? You can also ask each other questions – whoever knows the most English words wins!

53

Schneewittchen
Little Snow White

Eule
owl

Brotkorb
a basket of bread

Glas
glass

Stiefel
boots

Dolch
dagger

Apfelkorb
a basket of apples

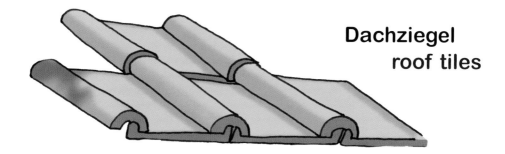

Dachziegel
roof tiles

Pflanze
plant

Ring
ring

Pferdekopf
a horses head

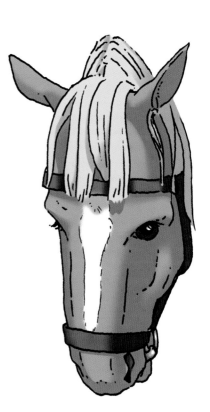

Käse
cheese

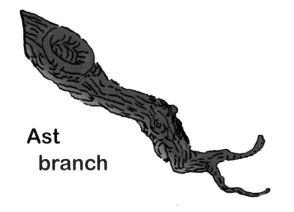

Ast
branch

Taube
dove

Lampe
lamp

Kerzenständer
candlestick

Kette
necklace

Bänder
  laces

Meißel
  chisel

Rabe
  raven

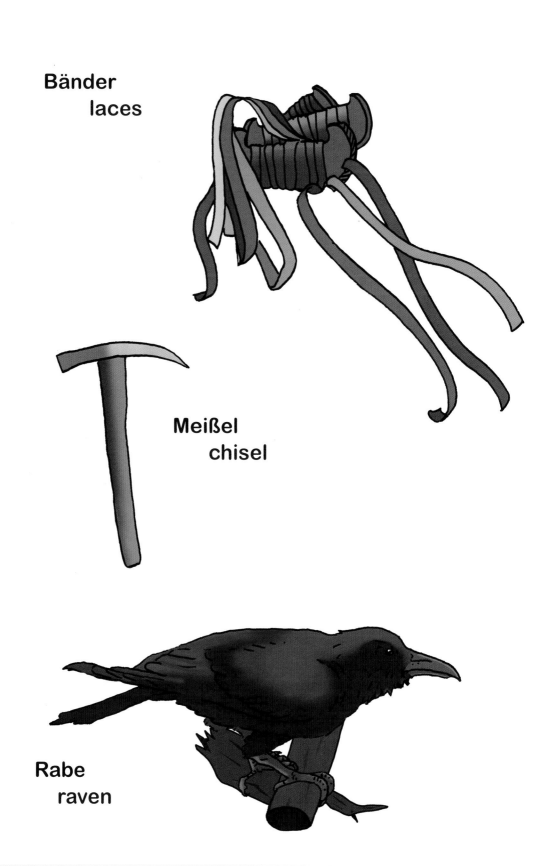

Apfel
apple

Säule
post

Kessel
cauldron

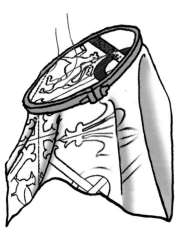

Stickrahmen
needlework frame

Spiegel
mirror

Speck
bacon

Krug
jug

Schnee
snow

Eiszapfen
icicles

Mond
moon

Blumen
flowers

Zwerg
dwarf

Wald
forest

Flaschen
bottles

Zwiebel
onion

Mütze
cap

Besteck
cutlery

Kamm
comb

Fenster
window

Kerze
candle

Fuß
foot

Hocker
stool

Impressum

Illustration: Gregor Schöner
Grafik: Alice Wüst für bookwise GmbH
Produktion: bookwise GmbH
Sprachaufnahmen, Schnitt, Bearbeitung
und musikalische Themen: Stephan Eppinger © 2007
Sprecher: Anne Hodgson/Christof Thiemann

© 2007 Berlitz Publishing, München
Mies-van-der-Rohe-Straße 1
80807 München

Printed in Slovenia
ISBN 978-3-468-73173-0

So spielst du die CD ab

Die Nummern der Tracks auf der CD zeigen dir, auf welchen Seiten im Buch
der dazugehörige Text steht. Du kannst die Bilder im Buch ansehen oder
den deutschen und englischen Text mitlesen, während du die CD anhörst.
Auf Track 26 hörst du die Begriffe aus dem Bildwörterbuch auf Deutsch
und Englisch und kannst deine Aussprache verbessern. Auf Track 27 wird
das ganze Märchen in deutscher Sprache vorgelesen.